郑栗儿/著

菊 子/绘

大师密码 A-Z系列

大师密码 L

谁偷走小偷的心?

人民东方出版传媒
People's Oriental Publishing & Media
東方出版社
The Oriental Press

图书在版编目（CIP）数据

大师密码 . L, 谁偷走小偷的心？ / 郑栗儿著 ; 菊子绘 . —北京 : 东方出版社 , 2015.11

ISBN 978-7-5060-8736-0

Ⅰ. ①大… Ⅱ. ①郑… ②菊… Ⅲ. ①儿童故事—作品集—中国—当代 Ⅳ. ① I287.5

中国版本图书馆 CIP 数据核字（2015）第 267046 号

大师密码 L：谁偷走小偷的心？
（DASHI MIMA L: SHUI TOUZOU XIAOTOU DE XIN？）

作　　者：郑栗儿
绘　　者：菊　子
产品经理：张媛媛
责任编辑：张媛媛
出　　版：东方出版社
发　　行：人民东方出版传媒有限公司
地　　址：北京市东城区朝阳门内大街 166 号
邮政编码：100706
印　　刷：小森印刷（北京）有限公司
版　　次：2016 年 3 月第 1 版
印　　次：2016 年 3 月第 1 次印刷
印　　数：1—5 000 册
开　　本：720 毫米 ×950 毫米 1/16
印　　张：5
字　　数：48 千字
书　　号：ISBN 978-7-5060-8736-0
定　　价：18.00 元
发行电话：（010）64258117 64258115 64258112

目 录

出版前言

每个父母都希望孩子未来能出类拔萃，并在孩子的教育问题上倾尽心力。

许多孩子长大后成熟乐观，在社会上如鱼得水，但不少人成年后并不快乐。他们即使地位显赫、经济条件优越，依然郁郁寡欢。带来快乐的因素有很多，其中起决定作用的则是人格。面对同样的问题，不同的人格往往造就不同的结果。

怎样才能培养健全的人格？我们不妨到传统文化中去寻找答案。几千年来，儒、道、佛相得益彰，共同塑造着国人的精神世界。儒家关切社会的治理，道家关怀生命自然状态的保持，而佛家则关心人生痛苦的解除。故此，历史上就有“儒家治世、道家治身、佛家治心”的说法。

今天很多人习惯于将佛教简单理解为一种宗教，有的人甚至认为它是封建迷信。如果去掉宗教的外衣，它其实是一座充满智慧，兼具心理、品德教育功能的文化宝库。

为此，我们从台湾引进了这套“大师密码”A–Z 系列。这套书以 130 个佛教大师的成长故事，体现了 130 个美好的人格特质。沉着、孝顺、无畏、远见……从这些有趣的故事里，孩子们不但可以学会如何获得成功，更能明白如何倾听内心的声音，获得快乐。

这套书结构编排巧妙，集合了台湾优秀的作家及插画师。书中故事生动活泼，插画精美，在台湾广受好评，曾获得台湾“第 27 次中小学生优良课外读物推介”。相信它同样会得到大陆青少年朋友的喜爱。

大师的密码　成功的特质

在我还是青少年时，就很喜欢阅读佛教大师的传记故事。可以说，我的人格就是从阅读大师的史传故事，点点滴滴建立起来的。

不论大人、小孩都喜欢读故事，法鼓文化历时两年的筹备，制作了这套有丰富精美插画的“大师密码”A–Z系列。这套书中，选出130个“大师的美好特质”，一个特质就是一个大师故事，让孩子在趣味的故事中自然吸收大师的养分。

我曾指出佛教的高僧必须具有四大条件：持戒清净、修行精进、慈悲济众与护持佛法；如果转换成现代人的语汇，就是自律、认真、宽大、懂得回馈，而这些正是所有成功人士必备的条件。

很多家长以为孩子学佛会变得消极、不具竞争力；如果从大师的四大条件来看，这样的想法完全错误！孩子接触佛法绝对会更积极、健康，能为他们的一生奠定稳固的基础。

大师们的成就绝非偶然，也没有人一出生就是大师，父母应该提供这样的环境，让人格正在成长形塑中的孩子，吸收历代大师们的生命菁华，转化为他们自己的。我相信这一套“大师密码”A–Z系列，能够成为孩子们成长的助缘！

聖嚴

台湾法鼓山禅修文教体系创办人

命运大抉择

大师密码 Liberty 自由

世上有不爱钱的人吗？庞蕴就是这样的人，出身于书香门第的他，看惯了官场人追逐名利的险恶嘴脸，不但视富贵如浮云，连科举都不想考了，以免自己也变成名利的囚徒。

有人见他将全部家产沉入河中，以为他疯了，他却开心地唱歌说：“世上大部分的人都喜爱财富，我却爱享受片刻的身心寂静。因为财富太多会让人起贪念，只有身心寂静才可以见到自己的真心。”不只是他，他们全家人好像都疯了，太太、女儿、儿子不但陪他甩掉钱，还开心地跟他一起到乡下当农夫，并不担心从此大富翁变成穷光蛋！

由于全家人有志一同学佛，小小的茅舍里不时传出相互抢答禅语的说笑声。全家人自由自在地享受田园生活，好不惬意！

小档案 庞蕴

- 国籍：中国
- 别称：庞大士、东土维摩
- 专长：禅修
- 影响：生死自在的代表性人物
- 事迹：散尽家财种田去

茂密的森林前一分钟还是绿色的，后一分钟却变成整片的白色，这一场雪下得可真大啊！连散步的野兔子都赶紧躲到了树洞里。

在山中寺院刚结束禅修的庞蕴居士，准备下山回家时，瘦长的身影一步出禅院，忽见片片雪花从天空飘落下来，好像可爱的鹅毛自由自在地纷飞，看那雪花飞舞的样子真是无比快活。

远方的森林与近处的溪泉和飞雪融为一体，面对此等美好静寂的景致，庞蕴不禁会心一笑，手摸着长长的胡须，对着一旁送他出门的禅师，顺口吟诵了一句偈子：“好雪片片不落别处。”

胖胖的禅师愣了一下，眼睛也眺向满山的白雪，心底揣测庞蕴这句话到底什么意思。他想不出来，便自以为聪明地反问：“既然好雪片片不落别处，那究竟要落到哪里呢？”

不说还好，这一说简直破坏了整个自然情趣，庞蕴什么话也没应，斜看了禅师一眼，禅师被看得莫名其妙，赶忙又问：“怎么啦？我脸上有雪花吗？”

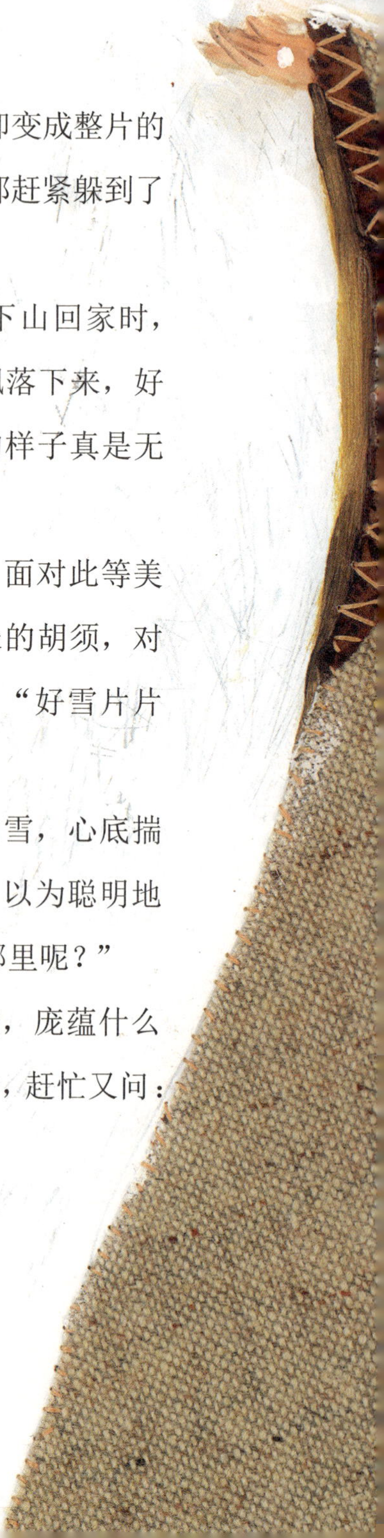

庞蕴摇摇头："你脸上没有雪花。"

这下禅师更不懂了，再问："那你看什么呢？"

庞蕴慢悠悠地回答："我只是看你可真粗鲁呢！刚刚结束了禅修，连一点佛的宽广境界都沾不上边，佛一再叫我们不要有分别心，不处处区分这是你的、那是我的，就能得到真正的自由。而这雪不管落到哪儿，不都在这个宇宙中吗？你何必在乎是落在这里或那里呢！"他的一番话让禅师的脸红得像一个苹果，跟周围茫茫的白雪形成鲜明对比。

庞蕴是唐朝著名的居士，父亲是衡阳太守。庞蕴年轻时曾和同伴一起赴京赶考，途经一条热闹的市街时，遇见一位远方来的僧人正在沿街托钵化缘，庞蕴大方地从身上掏出银子给他，僧人道谢后问他："请问施主要去哪里？"

一看就是白面书生的庞蕴不假思索地回答："到京城赶考。"

僧人说："那我帮你看个相，看你的考运如何？"

僧人盯着庞蕴的脸瞧了老半天说：“你应该被佛选中，而不是被官选上。被佛选中，你会得到自由；被官选上，你只会失去自由。”

庞蕴疑惑地问：“当官就是为了得到权力高位，可以一呼百诺，别人都得听你的，怎么你说当官会失去自由？”

僧人笑答：“官场上为了私己的权势利益，你争我斗不亚于战争，表面上很风光，事实上却被一条看不见的欲望绳索给束缚住了；学佛则可以得到开悟的自由，不再被任何世事所牵绊，这两者你要选哪一种？”聪慧的庞蕴一听，就明白了僧人的意思。庞蕴出身地方官宦之家，常常看见父亲碍于上层的意思，而做出一些非己所愿的事。

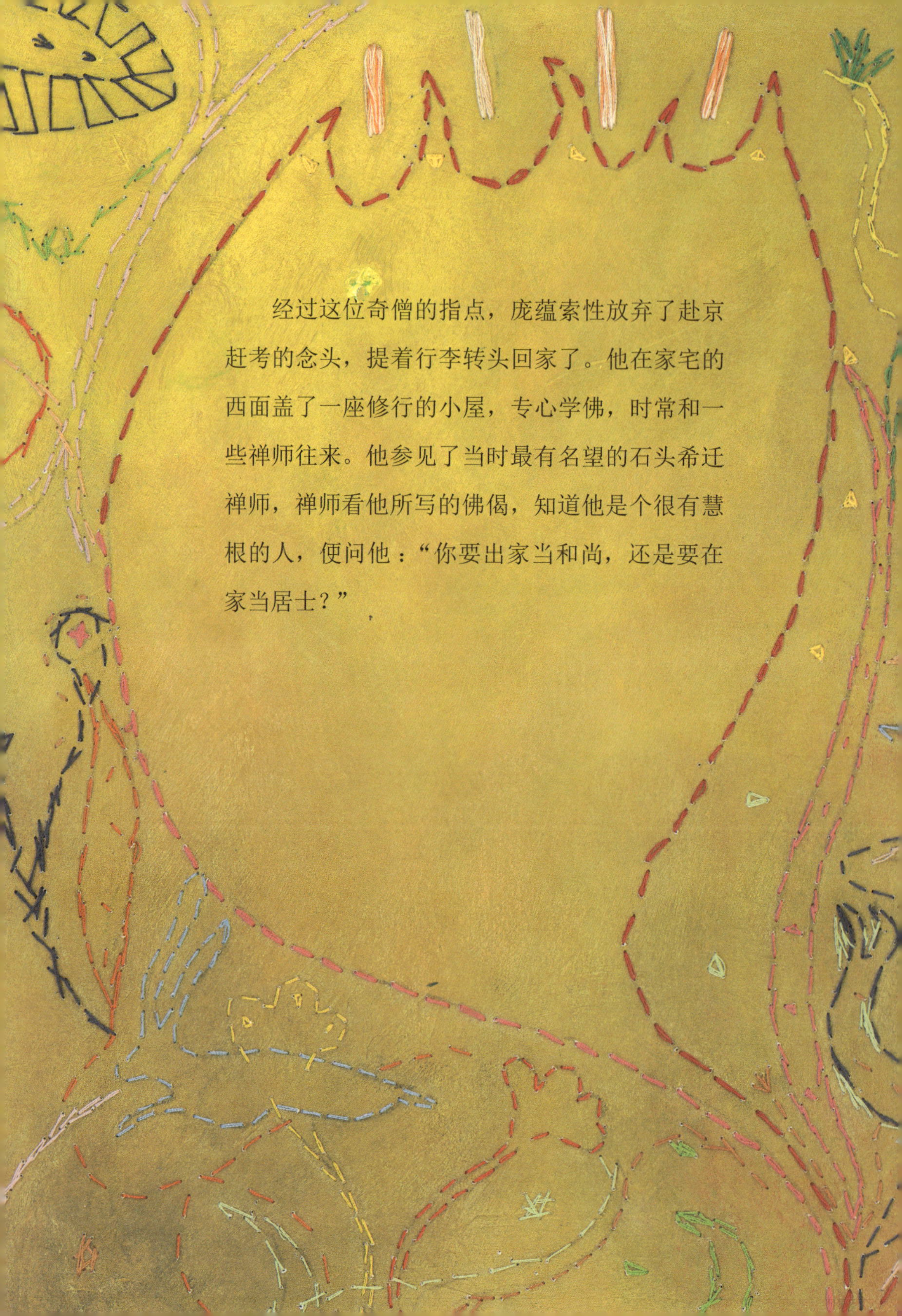

经过这位奇僧的指点，庞蕴索性放弃了赴京赶考的念头，提着行李转头回家了。他在家宅的西面盖了一座修行的小屋，专心学佛，时常和一些禅师往来。他参见了当时最有名望的石头希迁禅师，禅师看他所写的佛偈，知道他是个很有慧根的人，便问他：“你要出家当和尚，还是要在家当居士？”

庞蕴选择了在家当居士，但他学佛的境界并未因此而受到限制，后来他跟着马祖道一禅师参学三年。悟道后，有一天他到襄阳旅行，觉得这里的环境更适合修行，便带着妻儿隐居到襄阳清幽的乡间。

搬家这一天，全家一起动手将祖先遗留下来的万贯家产，全部装到一辆辆马车上。

“好啦，出发吧！”庞蕴一声令下，一家四口离开了城里居住多年的大宅邸，妻子忍不住擦去眼角不舍的泪滴，这时，别说是一草一木，连家里的老鼠都让她怀念起来。

马车渐行渐远，妻子觉得再难过也改变不了什么，于是决定好好迎接新的生活。她这才提起精神，打量着要去的前方，却赫然发现车子行进的方向好像不是走往乡下的路上，而是绕到了湘江。

妻子急切地问：“庞蕴，我们是不是走错路了？”

跟着马车摇来晃去的庞蕴回答："没错啊！"到了河边的浅滩上，庞蕴下令整队的马车都停下来："停！现在把车上所有的东西都搬下来吧！"

搞不清楚状况的妻子也跟着下了马车："怎么回事？"

一旁古灵精怪的女儿灵照替庞蕴回答："爸爸说，既然要隐居修行，就应该断除对物质的依赖。这些家产都是身外之物，我们现在用不到了，统统不要了！所以把它们丢到河里，我们要一身清爽地去乡下隐居。"

"啊！钱怎么会用不到呢？"

妻子瞪大眼睛，看着庞蕴一派轻松地对她笑："丢吧！"

妻子犹豫着不肯丢，灵照已经举起一只古董花瓶把它扔进了河里，庞蕴看了哈哈大笑说："干得好！女儿。"

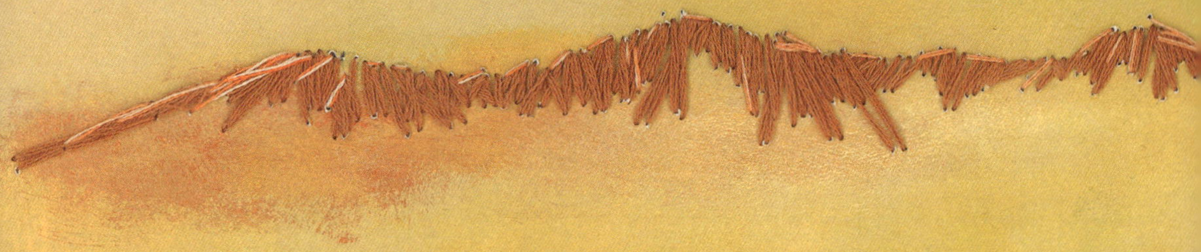

“我还要丢！”接着灵照又拿起古瓷碗、玉佩、金饰等，丢进了河中。

庞蕴和儿子的手里也没闲着，忙着扔房契、田产、租约、借条等，最后剩下了银子，几个人好像扔石子一样，一个个扑通扑通地丢着。

“原来丢银子跟扔石头没两样嘛！”灵照又笑着说。

“真的是！”儿子也跟着点头。

“真的不留几块银子当存粮吗？”妻子不放心地问。

父子三人同时回答：“不！我们不想再被金钱束缚了！”说完，便一起把手中最后的银子丢到河里。

两手空空的灵照，开心地对着天空大喊：“我们自由了！”

什么钱财也没留的庞蕴，无事一身轻地和妻儿隐居到襄阳的鹿门山下。他每天以编竹器维生，妻儿则下田种稻、种菜，过着自给自足如世外桃源般的生活。

每一天，庞蕴都坐在茅草屋的屋檐下，悠哉地一边手编着竹器，一边吟诵一首首佛偈，一家人一起快乐地修行。放弃世俗名利的庞蕴，心灵得到解放，从此享受着自由自在的生活！

最有说服力的人

大师密码 Lasting 持久

富楼那与佛陀同一天出生，虽然出生于印度的富贵人家，但他的修行信念和佛陀一样强烈，因此离家到雪山苦修。当他知道佛陀证道后，便追随佛陀修行。

许多人都喜欢做容易的事，遇到困难就互相踢皮球，富楼那之所以与众不同，就在于他总是选择最难走的那条路，而且能把“绝路”走成“活路”。不论是多么难以教化的偏远地带，只要有了他，佛法的种子就能在那里落地生根、开花结果。像原本连佛陀都劝他不要前往的蛮荒危险的地区，富楼那都毫无畏惧前往，以他的爱心帮助当地人改善生活，结果全国人都学佛了。

据说，听他说法而深受启发有所体悟的，多达九万九千人，富楼那被尊为“佛陀十大弟子说法第一”，真是当之无愧！

小档案 富楼那

- 国籍：印度
- 译名：满愿子
- 尊称：佛陀十大弟子说法第一
- 专长：医疗、演说佛法
- 影响：如行云流水一般到印度各地演说佛法，建立佛寺
- 事迹：不怕困苦，坚持到偏远地区说法

终年积雪的雪山岩洞，住着一位特别的修行人，每天静坐如山，脱离了对世间的执着。

当他得知，与他同一天出生的悉达多王子，已经证得无上智慧成为佛陀时，这位与悉达多同一天离家求道、原为国师之子的富楼那，便结束了雪山清修的日子，来到鹿野苑追随佛陀。

冷冽的雪山日子，锻炼了富楼那沉着稳重的个性，让他明白就算遇上再大的困难，也要坚持到底。而佛陀的教法，开启了他对生死最后的迷惑，彻底了悟宇宙的真理，并成为佛陀弟子中最善于说法的人。

佛陀十分了解富楼那的优点，经常派富楼那到各国去弘法，富楼那能用最悦耳的声音，最善巧的方式为人说法，而且见什么人说什么法。

有一次，一群才忙完耕作的农夫们，像田里的稻草人一样，直挺挺地站在田埂路上，他们正围绕在一位慈眉善目的僧人面前，聚精会神地听他和蔼地问说：“除了一般农田外，你们知道还有另一种田吗？”

所有的人都摇头，不知道除了种小麦、稻米、玉米等农作物的田以外，还有什么田是他们没见过的。

“这种田很特殊，叫作福田，种了它以后可以滋养我们的慧命❶，让我们得到解脱。”

“真的？那赶快告诉我们怎么种才好！”农夫们好奇又着急地问。

❶ **慧命**：以智慧为生命。

“你们要学佛，要对出家人恭敬供养，对父母孝顺有礼，对病人悉心照顾，对公益事业热心服务，而且要守五戒[2]，不做恶事，多做善事，这样就是在耕种你们的福田了！”僧人说法时，周围仿佛沐浴在一片光亮中，变成了一座圣洁的花园。

农夫们纷纷点头同意：“好啊！我们一起来种福田吧！”

[2] **五戒**：皈依佛法的人所受持的基本戒律，有不杀生、不偷盗、不邪淫、不妄语、不饮酒五项，持五戒的目的在于保护身心，避免欲望与烦恼的困扰。

僧人又提醒说：“种福田一定要持之以恒，每天都去做，这样才有功效！”

其中一名农夫说：“师父，听您说法我好开心！请问您是哪位仙人啊？”

僧人笑笑回答：“我不是仙人，我是佛陀的弟子富楼那。”

告别了众人，富楼那又只身转往更偏远的地方，为更多的人说法，而愈是难以教化的地方，富楼那愈能展现他持久的毅力，勇往直前。

这一年结夏安居❸才结束，富楼那就向佛陀请示说："敬爱的佛陀，请允许我到输卢那国弘法。"

输卢那国是位于印度东北方一个偏僻的小国家，为蛮荒之地，民风未开。佛陀有点犹豫，担心富楼那去那里会有生命危险："可以弘法的地方很多，不一定要去输卢那国，那里太落后了，人们经常惹是生非。"

❸ **结夏安居**：印度夏天雨季长达三个月，在此期间出家人不外出，齐聚一处修行。

富楼那笃定地说："正因为输卢那国蛮荒落后，我才要去那里弘扬佛法，这样他们的人民才能有改变的机会。我很感谢佛陀对我的爱护，但我这具肉身早已献给了佛法，就算为弘法牺牲性命也是值得的。"

佛陀听了深受感动，为了考验他的信心，便问："如果你去那里，人们见到你就破口大骂，你怎么办？"

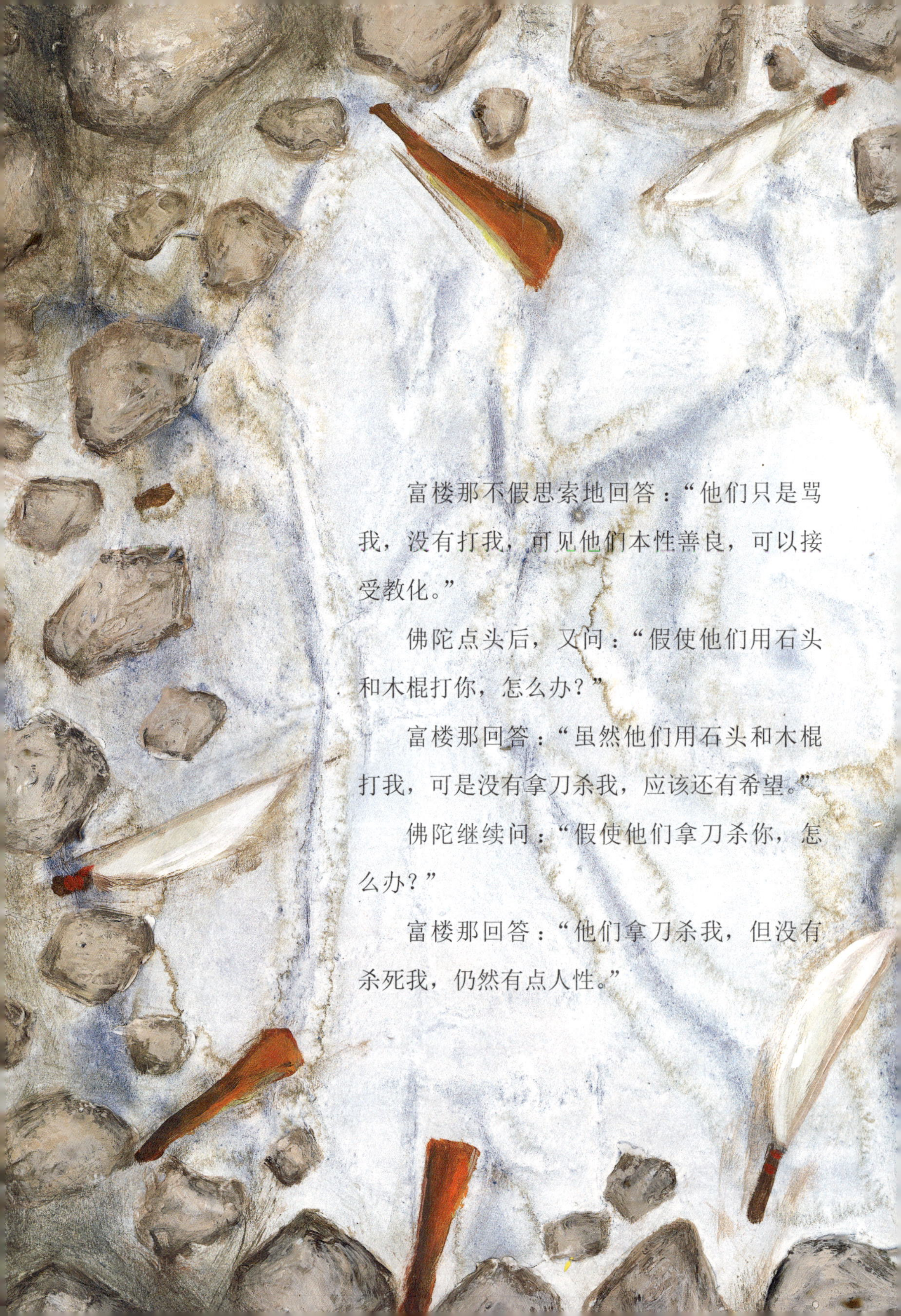

富楼那不假思索地回答："他们只是骂我，没有打我，可见他们本性善良，可以接受教化。"

佛陀点头后，又问："假使他们用石头和木棍打你，怎么办？"

富楼那回答："虽然他们用石头和木棍打我，可是没有拿刀杀我，应该还有希望。"

佛陀继续问："假使他们拿刀杀你，怎么办？"

富楼那回答："他们拿刀杀我，但没有杀死我，仍然有点人性。"

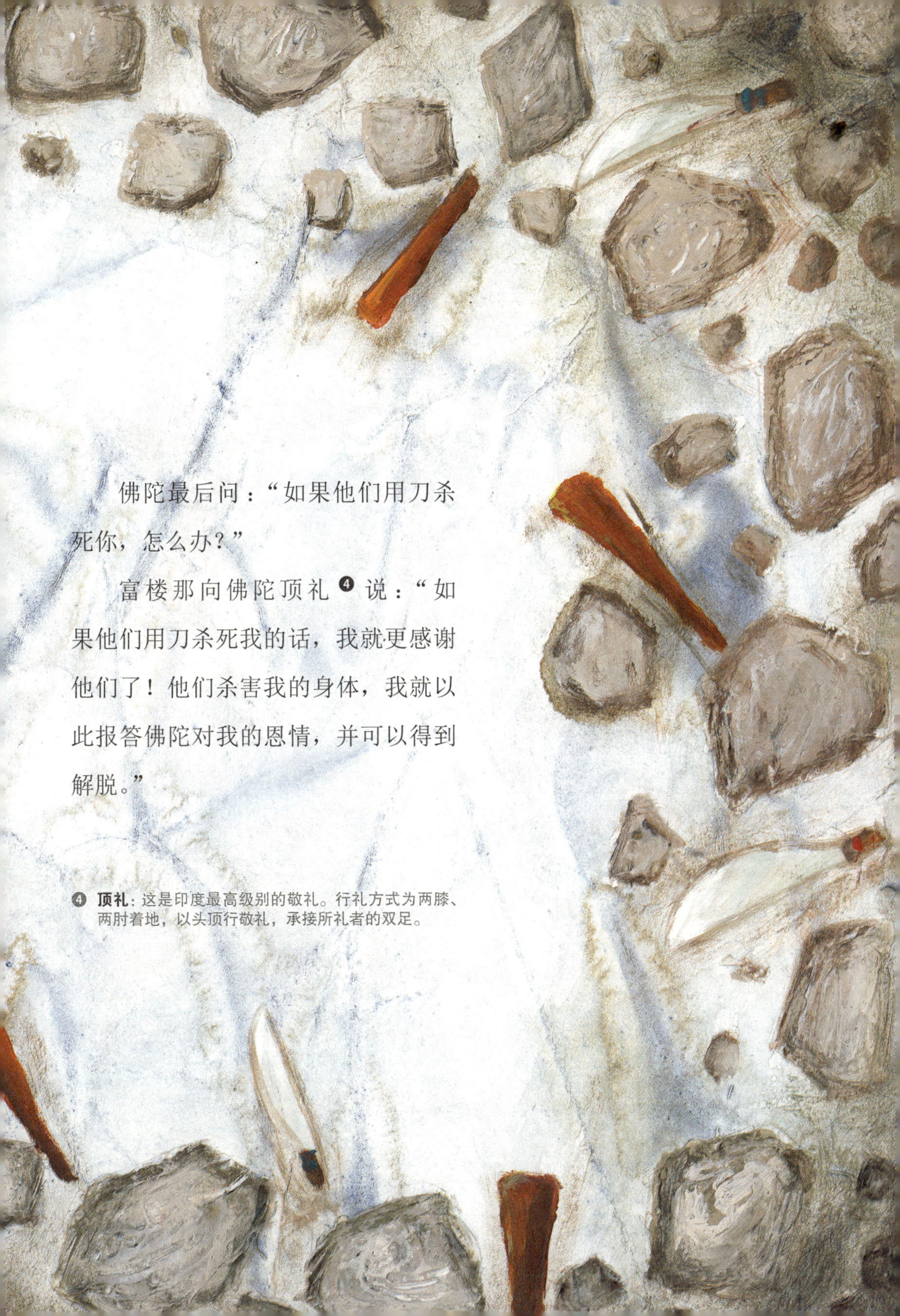

佛陀最后问："如果他们用刀杀死你，怎么办？"

富楼那向佛陀顶礼❹说："如果他们用刀杀死我的话，我就更感谢他们了！他们杀害我的身体，我就以此报答佛陀对我的恩情，并可以得到解脱。"

❹ **顶礼**：这是印度最高级别的敬礼。行礼方式为两膝、两肘着地，以头顶行敬礼，承接所礼者的双足。

佛陀非常高兴，称赞他说：“你不愧是我的好弟子，我相信你一定能在输卢那国待上很长时间，因为任何困难都难不倒你。”

佛陀说的没错，当富楼那好不容易抵达资源贫瘠的输卢那国，看着人们都还过着原始的狩猎生活时，他决定先从改善居民的生活着手，而不急着宣说佛法。有人生病了，他翻山越岭去治愈；有人发生意外了，他号召众人去抢救。富楼那不但教人们耕种和畜牧，还教他们如何识字，然后在潜移默化中慢慢注入佛法的道理。就这样，在富楼那持续的努力下，输卢那国终于成为一个虔诚的佛教国度，在那里富楼那还收了五百名弟子。

后来在一次前往跋蹉国弘化的途中，富楼那经过憍赏弥国的山林过夜，遇见几位精进修行的比丘在这里隐居，他们正围聚在一起谈论佛法。富楼那听了很欢喜，赶紧过去向他们问候：“各位也是佛陀的弟子？”

“您可是说法第一的富楼那尊者？”一群人起身恭敬地迎接。

富楼那客气地回说：“说我说法第一实在不敢当。”众人一听更加敬佩他了，赶紧请他上座。

富楼那好奇地问：“各位怎么会住在这个地方呢？”

说到这里，每个人都垂头丧气起来：“唉！我们原本也跟您一样，云游各地四处弘法，可是我们说什么，人们根本听不懂，与其花那么多时间去度化他们，不如自己在山林里好好修行，早日成就佛道。”

富楼那点点头说：“弘法确实会遭遇许多困难，不过就是因为人们不知道佛法的美妙，我们才更要让他们知道。如果只求自己解脱，而不去度化他人的话，那岂不是辜负了佛陀的善意？”说得众人都沉默不语，心生惭愧。

于是，富楼那对大家提议说：“这样吧！我正要去跋蹉国弘法，那里也是一个未开化的国家，你们愿意跟我一起前往吗？”

所有的比丘都欣然答应了，他们眼睛直视着这位慈祥的尊者，内心对他始终不懈的持久热情，生起了效法的决心。

神机妙算一奇僧

大师密码 Luminary 先知先觉

“无论你在哪里，佛图澄都知道你在做什么！”这句耳语传遍了后赵全国，大家都晓得国师佛图澄无所不知，不管是谁，只要起了坏心眼，他马上就知道了。连残暴的石勒、石虎君王也不敢随便乱来，因为每次他们想暗杀佛图澄时，都会被大师一眼看穿！

本来，佛图澄已到了七十九岁高龄，应该可以安享晚年了，可是因不忍众生受苦，便主动跳进魏晋南北朝的战火中，想以清凉的佛法来灭火。照理说，君王打仗都来不及了，哪儿有时间听他说法？但佛图澄以巧妙的智慧，让暴君完全心服口服。

高寿达一百一十七岁的佛图澄，在不到四十年间，就建了近九百座佛寺，收了近万名弟子，化解了战争的暴戾杀气，果真将战火化为红莲！

小档案 佛图澄

- 国籍：西域龟兹
- 别称：竺佛图澄、大和尚
- 专长：医疗、演说佛法、预言、持咒、医术
- 影响：在佛图澄以前，中国佛寺与僧人屈指可数，经他大力建寺与培育僧人，佛教开始普遍传开来
- 事迹：预知军情

“石勒又杀了一名僧人！”葛陂的街头巷尾人心惶惶，大家交头接耳，互相传递着坏消息。

“是啊！自从他屯兵葛陂后，不知杀了多少人，连出家人也不放过。”匆匆交谈几句后，人群赶紧散去，因为前面不远处，石勒手下大将郭黑略的军队已经朝这边走来。

来自西域乌苌国的高僧佛图澄，跟几个来不及闪避的老百姓一起躲在角落，耳畔有人又说了一句：“不过，听说这位郭黑略倒是满信佛法的。”听到这儿，佛图澄的眼睛顿时一亮。

隔天，佛图澄忽然出现在郭黑略的军营里，对着士兵说：“跟郭统领讲一下，他的贵人到了！”

郭黑略对于佛图澄的大胆自荐感到好奇，便让佛图澄进来，问说：“和尚为何说是我的贵人呢？”

佛图澄回答：“因为我可以帮您预知每一次征战的胜负，但我有个条件，那就是您必须遵守五戒。”

原来这位从西域来中国弘法的大师，不忍心看残暴的石勒如此蛮横地对待可怜的老百姓，知道郭黑略笃信佛法，便想通过郭黑略来感化石勒。

郭黑略欣然同意了，心想可以趁此机会，看看这和尚是不是真的先知先觉。说来也巧，每一次郭黑略随石勒出征，佛图澄所预言的胜负，还真是一点都不差。连石勒也感到奇怪地问郭黑略：“你最近怎么都知道行军的吉凶呢？”

郭黑略答说：“因为我有一位智慧非常高的师父，他能预知未来，他还说，将军您以后会统治北方，而他会成为辅佐您的国师。”

石勒听后连忙召见佛图澄，见面后一开口就问：“佛法有什么灵验的地方？”

佛图澄明白石勒不了解真正的佛理，只能用神奇的道术来说服他，便顺手拿了一个钵，烧香念咒，没多久，钵中就开出一朵美丽的莲花。石勒一看到这个奇迹就完全信服了，佛图澄趁机劝导石勒："一个国家的领导人如果有德行的话，就会出现各种祥瑞的征兆；相反，如果弊端连连，残暴不仁的话，就会出现许多不祥的征兆，最终会自取灭亡。"

石勒听后，立刻下令把狱中一些无辜入狱的人释放出来，并停止了无谓的屠杀，让葛陂的老百姓们松了一口气，内心都非常感谢佛图澄。

当石勒从葛陂返回河北途中，佛图澄眉头一蹙，对石勒说："将军经过枋头时，要更加小心防备，恐怕会遭遇突袭。"果然，枋头的士兵带着武器趁夜侵入，幸好石勒有所准备，逃过一劫，从此他对佛图澄更加敬重了。

石勒虽然接受了佛图澄的教化，但还是不改残暴多疑的个性。有一次，他不知道为什么又想把所有修行的人都杀了，但碍于佛图澄的情面，只好作罢，可是心里还是愈想愈气，便迁怒到佛图澄身上：“都是这个佛图澄，害我无法为所欲为，连杀个人也要看他脸色，我不如先杀掉他算了！”

佛图澄早就料到此事，对弟子吩咐说：“如果石将军问我人在何处，就说你不知道。”随即便躲到郭黑略家中。

不久，石勒派人来找佛图澄，哪里都找不到，这个消息传回石勒耳朵里，他惊讶地自言自语：“我才对大师动了一下恶念，他就察觉到了！大师无所不知，我这回真的得罪他了！”石勒吓得整晚辗转难眠。

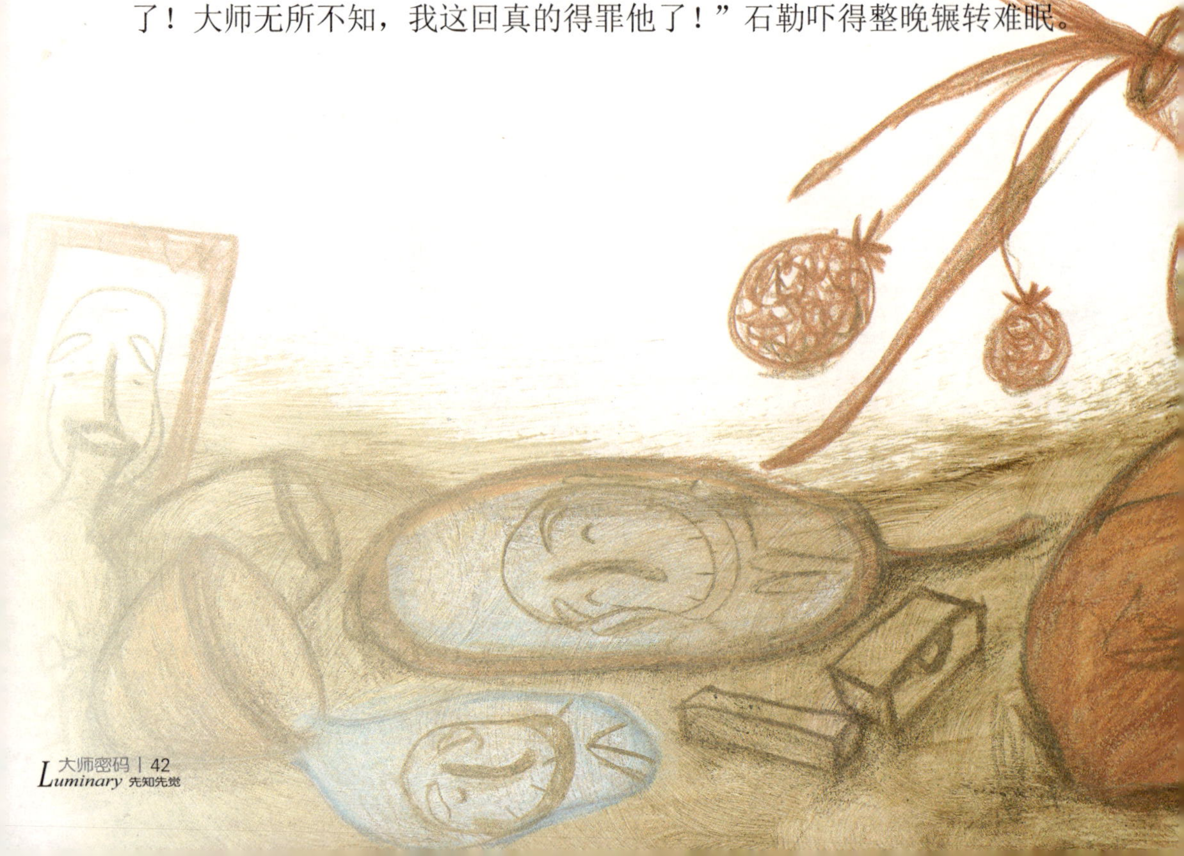

佛图澄知道石勒已经悔悟，第二天一大早亲自到他家中拜访。石勒见到佛图澄，当场表示忏悔。佛图澄笑说：“昨晚因为您怒火正盛，所以我出去避一下风头，现在您的气已经消了，我才敢来见您。”简单几句便道出了石勒的心声，让他更加敬重佛图澄。

一如佛图澄所言，石勒后来登上了后赵帝位，他册封佛图澄为大和尚，天下暂且宁和无事。数年后，在一个无风的日子，悬挂在佛塔的风铃却突然鸣响不停，正在开示的佛图澄对弟子们说："国家将有大丧了！"

七月，石勒驾崩。弟弟石虎发动政变，自立为皇帝，他对佛图澄的礼遇和信赖，更甚于石勒。佛图澄很清楚石虎的为人，跟他哥哥一样凶狠残忍，佛图澄能做的，还是以他先知先觉的能力来度化石虎。而佛图澄多次神准的预料，也为石虎化解了不少灾难。

后来，石虎的两个儿子石宣和石韬失和，都想置对方于死地。有一次石宣和佛图澄坐在一起，忽然佛塔处的一只风铃独自响起，佛图澄问石宣：“你知道这是什么意思吗？”

石宣不语，佛图澄便说：“你要懂得收敛，以免铸成大祸啊！”

没多久，佛图澄又碰到石韬，盯着他看了很久说：“你一身血腥味，可是会遭殃的啊！”

佛图澄预知国家将会有灾祸，于是和弟子们先搬到他处，为国家祈福消灾。石虎和杜皇后来向他请安，佛图澄警告石虎说：“您被恶贼包围了，大概不出十天就会发生流血事件，您可千万要小心！”

杜皇后却不相信："和尚，您大概年纪大了，森严的皇宫怎么会有贼呢？"

佛图澄叹道："我们的七情六欲，如果过度放纵的话，就会变成贼啊！我老了免不了糊涂，但年轻人糊涂的话，可就不得了了！"

过了两天，弟弟石宣果然杀害了哥哥石韬，他还想趁父亲石虎来探望遇刺的石韬时，一起杀了父亲。但由于佛图澄已经事先提醒过石虎，石虎便派兵把埋伏的石宣给抓了起来，准备用火烧死他。

佛图澄劝告石虎："如果您肯把怒气转为慈悲，那么您的国家还可以再维持六十年，否则，将祸患无穷。"可惜震怒下已失去理智的石虎听不进劝告，最终还是杀了自己的儿子。

当然，这一切也都在佛图澄的预料当中，佛图澄知道国运将衰，自己也将不久于人世，临终前，他劝导石虎，凡事要为民着想，国家自然富强，但此举终究无济于事。

这位先知先觉的大师，一生创造奇迹无数，而最大的奇迹是他度化凶残的暴君。虽然伴君如伴虎，他却以洞烛机先的能力，在乱世中推行佛教，佛教因此而大放异彩。

用一只眼看世界

大师密码 Large-hearted 大气量

提婆的外号为“单眼提婆”，因为他只有一只眼睛。虽然只有一只眼睛，但是贵为狮子国王子的他，从小就饱读各种诗书，能与人滔滔雄辩，从不因为一只眼睛失明而失去对自己的信心。

提婆后来遇上了生命中的重要导师——龙树，让他的生命智慧得以大放异彩。龙树与提婆都是大乘佛教的开路先锋。

由于当时印度充斥着各种邪见异说，龙树与提婆师徒两人经常交换角色，一个扮演佛教论师，一个扮演其他教派的论师，相互演练辩论，真理果然愈辩愈明，而且提婆的反应、口才、思路，更是在辩论中不断提升，辩论功力一流。

后来提婆游走印度各地辩论正法，果然无人能敌，还收了上百万名弟子。

小档案 提婆

- 国籍：狮子国（斯里兰卡）
- 译名：单眼提婆
- 专长：辩论、佛学研究
- 影响：中国三论宗祖师之一
- 事迹：原谅杀死他的刺客

恒河，印度的母亲河，孕育了印度的文明，也净化了所有的印度子民。印度人认为，只要到恒河沐浴一次，便可以消除一辈子的罪孽。

正因为如此，恒河流过的古印度窣禄勤那国，每天都有人跑到河中沐浴；也有人来此投水自尽，以为可以因此升天；还有人把尸体丢到河中，想让亡灵得到超度。

对于这样的想法，途经此地要去南印度传法的提婆，不禁起了怜悯心："这些人不知因果❶道理，以这样的想法污染了洁净的恒河，不管他们是不是佛教徒，我都应该度化他们。"

❶ **因果**：指原因与结果的关系，也就是因果律，是佛教用来说明世界一切关系的基本理论。

提婆展现了他无私度人的大气量，他装扮成一名沐浴者到恒河边上，却不像别人一样用手捧水往身上冲洗，而是把整个头浸到水里，然后用力地甩头，甩得水花四溅。

旁人看见这位独眼的出家人奇怪的举动，忍不住问：“你都这么洗澡的吗？”

提婆抬起湿漉漉的头说：“我来自遥远的狮子国，今天可以在恒河里好好地清洗一番，但在家乡的父母却洗不到，所以我就把水花甩大一点，让水飞溅到他们身上。”

周围的人不约而同都笑了，有人还笑着说：“你太蠢了吧！这里的水怎么能到得了狮子国呢？”

提婆还是一脸认真的表情：“怎么不可能，恒河的水都可以送达死后的世界救度亡灵了，狮子国难道比死后的世界还远吗？”

众人听后愣了一下，顿时明白了自己的无知，提婆语气柔和地又说：“修行最重要的不是不犯错，而是能改过，只要能改，每一个人都能成佛，也不需要用恒河的水来洗清罪孽了。”在场许多人深受感动，便纷纷投到提婆门下。

提婆来到了南印度，这里的国王信奉邪教，对佛教非常轻视。为了感化国王，提婆便应征到国王的侍卫队中，担任一名侍卫。由于他待人宽厚又富有领导能力，很快便升为侍卫队的队长，提婆不仅把队伍带得严谨有序，而且处处为国王的安危着想，赢得了国王无比的信任："提婆，你无私的心是从哪里来的呢？你总是善待身边的每一个人。"

提婆不假思索地回答："这是我的师父龙树[2]教导我的，我师父常说'慈悲能解决世界上所有的问题'。"

国王又疑惑地问："龙树？是提倡大乘佛教[3]的龙树吗？"

看提婆点头，国王立刻脸色一沉，断然地说："那我不信！"

提婆知道不可能马上说服国王，便向他提议："既然国王不信，臣子也不能勉强，但可不可以给我一个机会，让我在国王面前，和所有的论师一起辩论佛法究竟是不是宇宙的真理，如果辩输的话，我愿意用人头谢罪。"

[2] **龙树**：印度僧人，为印度大乘佛教中观学派创始人，也被尊为中国佛教八个宗派的共祖。

[3] **大乘佛教**：大乘佛教以救度众生为目的，不似小乘佛教只以自己得解脱为目的。"大乘"就像是容量大的交通工具般乘载着众人。

国王欣然同意了，他为提婆在城中央设了一座法坛，各派论师一听说要和提婆辩论，都纷纷涌来，其中不乏对大乘佛教不满的人。面对一个个蜂拥而至的对手，提婆丝毫不胆怯，他大声地对众人宣布：“我现在要立三个论点，那就是：所有圣贤中以佛陀为第一，所有的法中以佛法为第一，所有救世济人中以僧人为第一。欢迎你们来向我挑战！”

那些高的、矮的、胖的、瘦的、年轻的、年长的……来自四面八方的论师们，哪里经得起提婆这番慷慨陈词，他们决定联手以车轮战的方式，轮流上场反击提婆，只见辩论无碍的提婆以他那流畅的利舌和渊博的学识，逐一击败了所有的论师。

三个月后，辩论会在国王赞许的掌声中画上了完美的句点：“提婆，你真是让我大开眼界了！也让我因此听闻佛法的美妙，现在我愿意改信佛法了。”

其他战败的数千位论师，原本也立下输了就要以死谢罪的誓约，但提婆不肯答应，说只要他们改信佛教、拜自己为师就可以了。

于是，国王转头对论师们说：“好吧！现在你们应该跪下来，正式拜提婆为师！”

当全部论师跪在提婆面前，向提婆顶礼的一刻，台下有一位论师的弟子却满脸愤怒，觉得输得很不甘心，他的眼睛里布满血丝，心里暗发毒誓："虽然你用口才赢了我们，我却要用刀剑来胜你！"

这位冥顽不灵的弟子假装跟随提婆，却身藏利刃，时时等待着机会准备暗杀提婆。这天，提婆独自在树林里静坐，四周安静得只剩下风吹草动的声音，这个弟子见时机已到，手持利刃从隐匿的角落冲出，一刀就刺进了提婆的腹部。

只见提婆的鲜血一直流出来，但他还是非常安静，甚至也不出声喊救命，手捂着伤口慈祥地对凶手说："我早知道你会来杀我！"

凶手听后吃了一惊问："那你怎么不逃？"

提婆笑答："因果业力谁都逃不过！我被你杀了，我的弟子一定会来找你报仇，我身上有袈裟和佛钵，你带着它们赶紧逃命吧！记住，要走小路，不要走大道，否则很快就会被抓到。"

提婆接着说："我已经深得佛法的感召，对于身体和寿命看得很淡了，而你还没有学成佛法，不明白世间的一切都是虚幻，所以才会被狂乱的心所迷惑，执着于声名及欲望。因此在我死前，我还是要再跟你说明白，让你可以领悟到佛法的真谛。"

提婆这番善意的话，说得凶手满脸是泪，这位弟子十分后悔错杀了一位如此慈悲的尊者，于是他跪在地上向提婆磕头："师父！我错了！"提婆点头，挥手要他离开，凶手犹豫再三，最后还是逃走了。

当弟子们发现提婆遇刺后，不禁都失声痛哭起来，急着要追缉凶手，剩下最后一口气的提婆，却阻止他们：“你们学了佛法，就知道因果循环的道理，如果为了我而去复仇，不是又再造恶业了吗？让他去吧！好好地弘扬佛法才最重要！”提婆说完后，便安详地去世了。

提婆虽然离开了世间，但他的大气量和宽恕的美德，如同恒河一样，成为佛教慈悲精神的化身。

谁偷走小偷的心？

大师密码 Loving-kindness 慈爱

命运天注定？云谷大师既不是魔法师，也不是算命仙，却能以佛法的智慧帮助无数人改变命运。

他少年出家就志气高远，认为出家应了悟生命的意义，十九岁那年就下定决心遍访各地明师。他不分日夜地用功，终于在一次用餐时，不小心将碗打翻在地，才对佛法恍然大悟。他在悟道后又隐遁起来，以挑水煮饭等杂役工作锻炼自己，后来又前往当时佛法已经没落的江南，让江南佛教扭转命运，重现生机。

云谷平日话不多，四十年来都不睡在床上，以禅坐代替睡眠。虽然他总是自我严格要求，但是待人却非常宽厚，总是能以平等的态度关怀前来向他请教的人，难怪那些受他指点的人，心情都能够雨过天晴，勇敢走出新的人生！

小档案 云谷

- 国籍：中国
- 别称：禅道中兴之祖
- 专长：禅修
- 影响：重振江南禅法
- 事迹：不分贵贱，一律平等慈爱地指导人们学禅

天色暗了，
云谷禅师掩上
庵门开始打坐，
自从来到镇江
栖霞山，这是他每天固定的功课。
江南禅法传到明朝便沉寂了，就连这
风光一时的栖霞山道场也荒废不堪。偶然路
过此地的云谷，却喜欢上这里的清幽，着手盖了
一所庵房修行。

在这样寂静的夜晚，谁会跑到这荒郊野外呢？

但就是有一个笨贼闯入了庵内，空荡荡的殿堂里除了一尊佛像、一对香烛和一个破旧的蒲团外，什么也没有。

贼溜进厨房翻找了老半天，也只发现了锅内几个冷掉的馒头，心里开始对这次行动毫无斩获感到失望起来。

于是，贼又蹑手蹑脚地溜进禅师的房间。虽然被禅师背对着自己打坐的身影吓了一跳，却眼尖地看见近门小桌上有一袋香火钱，正当他快速伸手要摸时，禅师突然咳嗽一声，吓得他赶紧逃跑了，但奇怪得很，贼始终找不到殿堂的门。他在殿内连跑了十几圈，最后只得找个角落坐下来休息，不知不觉竟然睡着了。

隔天一早，来打扫的老信徒发现了贼，抓他到云谷禅师面前认罪。

云谷禅师语气平和地说：“我还以为昨晚殿内有一只大老鼠跑来跑去呢，原来是你啊！”

贼儿叩头装可怜地求饶说：“我的老婆生了重病，需要钱看医生，偏偏我又失业了，不得已才来偷窃。”

抓他的老信徒反驳说：“师父，别信他，把他送去衙门关起来！”

贼跪在地上哭天喊地：“我刚从牢里出来，这一回去一定会被打死，请师父原谅我，我下次再也不敢偷东西了！”

听完贼的说辞后，云谷禅师问他：“你真的知错了吗？”贼点头。

云谷又问：“你真的能改吗？”贼又点头。

云谷把贼要偷的钱递给他，和蔼地说：“这是你要的钱财，拿去吧！当作是我送你的，现在你可以走了！记住，以后不要再当小偷了。”

贼连连道谢：“师父！谢谢您的慈悲。”他不敢拿钱，掉头就要离开。

云谷禅师叫住他，把钱塞到他手里，又请老信徒把厨房的几个馒头也拿给他：“把这当作你的资粮，你饿着肚子又身无分文，走投无路时一定又会去偷了。”

贼抱着东西，感动得落泪说：“师父，我一定会报答您的恩情！”

一旁老信徒也赞叹说：“师父您真慈悲，连对待一个贼都这么慈爱。”

不多久，云谷放走一个贼的消息，远近都知道了。有一回陆太宰游经栖霞山，听说云谷的慈悲风范，特别前来参拜。云谷平常沉着静默，但一说起佛理却犹如空谷中清晰的回音，让陆太宰十分崇拜，陆太宰便发愿重新建造佛寺，振兴江南佛教，并请云谷禅师担任住持。不喜欢权位和交际应酬的云谷推举其他人来担任，自己则移居到山中最深处的天开岩。虽然如此，来求见的人们还是络绎不绝。

不论僧俗贵贱，谁来参拜云谷禅师，云谷禅师都一样慈爱地关心他们，并给他们一个蒲团，要他们好好静坐，净化心灵，而且从早坐到晚，一句话都不要说。等到静坐完要回去时，云谷禅师还一再提醒：“记住啊，无常迅速，要把握时光修行！”再见面时，云谷禅师也一定会问他们：“最近修行有没有什么问题呢？”众人明白师父的关怀，都加紧努力用功，不敢懈怠。

有一天，一位名叫袁了凡的居士来见云谷禅师，他领了和尚递给他的蒲团坐下后，经过三天三夜都非常安定，没有生出一丝杂念。

云谷很诧异地问他：“你为何能静坐三天而不起一丝杂念呢？”

原来这位袁了凡是个很有学问的人，举凡天文地理无所不知，先前他在慈云寺结识了一位精通算命的孔先生，把他一生的吉凶祸福都算出来了。

孔先生连袁了凡哪一年会考上科举的第几名，哪一年会当上县长，又在哪一年会辞官都算得一清二楚，甚至还算出袁了凡一生无子，五十三岁那年会寿终正寝。日后袁了凡考取功名时，所得的名次果然都不出孔先生所料，因此他更深信每一个人的命运都早被老天爷安排好了，再怎么努力也无法改变，便淡然无所求。

了凡对云谷禅师坦诚地说：“我的一生命运已经被孔先生给算定了，也知道所有人的生死富贵都有定数，再怎么痴心妄想也是没用的，只能无奈接受，心中自然就没有任何杂念了。”

云谷一听，摇头说：“我原以为你已经到达解脱境界，没想到还是一名凡夫。”

了凡心想："命有定数，不加强求，这不就是真理了吗？"于是好奇地请问云谷禅师："师父有更高妙的见解吗？"

云谷笑说："你的命运被别人算定，不是凡夫是什么呢？"

了凡疑惑地回问："难道命运可以改变吗？"

云谷回答："命运本来可以由自己做主，福气也可以自己求取，就像诗书所说'命由我作，福自己求'。只要你改正以前所犯的过错，每天勤做善事而无所求，这样就是在种你的福田，任何命运也都能被改变。"

云谷禅师这一番话，是了凡以前不曾听过的，云谷恳切鼓舞的话语，句句打动了了凡的心。他开始思索，过去的他，是不是太迷信、太悲观，也太被动了？他被云谷禅师的慈悲给感动了，不但观念转变了，并且认真奉行，还发愿要做三千件善事。第二年去考科举时，原本孔先生算他应该考上第三名，结果他竟然考上了第一名，孔先生所说的话从此失灵，后来了凡还生了个儿子，不久又高中进士，五十三岁那年也没事，一生安乐地活到七十四岁。

因为云谷禅师的慈悲开示，了凡为自己创造了更好的命运，也造福了许多人。

无时不以慈爱度人的云谷禅师，被他感化的人无数，就连明代四大高僧之一的憨山也深受他的教化，尊称云谷为“中兴禅道之祖”。